D0653832

Juliette

fête Noël

Texte et illustrations de

Doris Lauer

-Oh, maman, toutes ces fenêtres à ouvrir jusqu'à Noël, que c'est long! dit Juliette devant son calendrier de l'avent.
-As-tu fait ta liste au Père Noël?
-Oui, au téléphone, avec papa, mais je pourrais lui faire une belle lettre avec des dessins, pour pas qu'il se trompe!

Père Noël
Président
du Ciel

Chez mamie, il y a une jolie couronne accrochée à la porte d'entrée et, dans sa cuisine, elle cuit de très bons sablés.
- Mamie, dit Juliette, tu sais que le Père Noël va bientôt passer nous voir, moi, petit Pierre et Noémie. Youpi !

Aujourd'hui, on installe la crèche.
Juliette adore froisser le papier-rocher
et sortir les personnages de la boîte.
Elle dispose le boeuf et l'âne bien près
du petit Jésus pour pas qu'il ait froid.
- Maman, c'est qui, les trois rois ?

Gloria

Papa a choisi un beau sapin au magasin. Qu'il sent bon ! Maman décore les branches du haut et Juliette, celles du bas.

– Alors, cette petite botte, je l'accroche ici, et ce joli tambour, là. Au Père Noël, ça lui plaira. Mais quand est-ce qu'il vient ?

Ça y est, Noël, c'est ce soir. Papy, mamie, Éric, Sylvie et la cousine Noémie sont déjà là. Il faut encore manger, puis chanter "Petit Papa Noël" autour du sapin illuminé. Les lumières sont éteintes et, tout à coup, il apparaît, entouré de cadeaux. «Bonsoir, les enfants, avez-vous été sages?» Juliette bredouille: «Moi oui, comme une image!»

Le Père Noël est reparti. Juliette et sa cousine sont tout excitées. On peut enfin ouvrir les cadeaux, on tire sur les rubans, on déchire le papier; qu'est-ce qu'il y a là-dedans? «Pourquoi Pierre a un plus gros cadeau que moi, papy?»

Il est super-chouette, le cheval à bascule du petit frère. Noémie dit qu'elle veut aussi en faire.

-Mais non, toi t'as eu une table à langer, alors il faut que tu changes ma poupée, elle a fait pipi par terre !

Juliette et Noémie ont beaucoup joué et piétiné les papiers froissés. Bébé Pierre est couché. Les cousines sont fatiguées. «Par où le Père Noël a-t-il bien pu entrer?» se demande Juliette, heureuse de s'endormir avec sa belle poupée.